DISCARDED

La ronde des jours

Lucie Papineau
Marie-Hélène Tran-Duc

Table des matières

Chapitre 1 - Bonne journée !   3

Comptine et jeu   16

Chapitre 2 - À la garderie   19

Comptine et jeu   32

Chapitre 3 - À l'école   35

Comptine et jeu   48

Chapitre 4 - À la maison   51

Comptine et jeu   64

Chapitre 5 - La fin de semaine   67

Comptine et jeu   80

Chapitre 6 - Des journées pas comme les autres   83

Comptine et jeu   94

Chapitre 1

Bonne journée !

C'est le matin et le soleil brille. Maman réveille Lilou, qui s'étire en riant. Comme son chat Tigrou, qui a des rayures partout.

Toi aussi, tu te réveilles de bonne humeur?

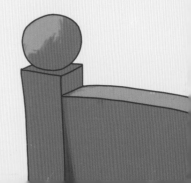

Maman essaie ensuite de réveiller Maxou.
Mais le grand frère de Lilou bâille et se roule
en boule. Comme son chat Filou, gris comme
un loup !

C'est maman qui aide Lilou à brosser ses dents. Maxou, lui, fait ça tout seul, comme un grand, avec sa brosse à dents à tête de clown.

Tigrou et Filou, eux, préfèrent regarder en ronronnant.

Et toi, brosses-tu tes dents tous les matins?

Pour le déjeuner, Lilou adore manger des céréales en forme de cœur. Avec beaucoup de lait. Maxou préfère tartiner son pain grillé de confiture de fraises.
Avec beaucoup de fraises.

Et Tigrou et Filou, qu'est-ce qu'ils mangent?
De délicieuses croquettes au goût de morue
crue. Un vrai régal… pour un chat !

Ton déjeuner préféré, c'est quoi?

Vite ! Vite ! Il faut enlever son pyjama pour s'habiller… Un pyjama, pour dormir, c'est parfait. Mais pour aller à la garderie ou à l'école, ça ne va pas du tout !

Au revoir, Tigrou ! Bonne journée, Filou !

15

Comptine de la semaine

Bonjour, madame Lundi

– Bonjour, madame Lundi.

Comment va madame Mardi ?

– Très bien, madame Mercredi.

Dites à madame Jeudi

De venir Vendredi,

Danser Samedi,

Dans la salle de monsieur Dimanche.

lundi mardi mercredi jeudi vendredi samedi dimanche

Qu'est-ce qu'on mange ?

Devine le menu du déjeuner de chaque membre de la famille.

1. Maxou n'aime pas les croissants. Mais il adore la confiture de fraises. Il boit aussi un grand verre de lait.

2. Lilou ne mange jamais de confiture. Tous les jours, elle se prépare un grand bol de céréales.

3. Maman n'aime pas le café. Elle mange toujours un yogourt au déjeuner. Ce matin, elle a ouvert un nouveau pot de confiture.

4. Papa se sent plus éveillé après avoir bu son café. Ce matin, il a pris un croissant tout chaud, puis il est parti travailler en emportant une banane.

Chapitre 2

À la garderie

Dans l'auto, Lilou et Maxou chantent
une chanson drôle. Maman aimerait
bien écouter la radio, mais elle ne peut
s'empêcher de chanter aussi :
Un éléphant, ça trompe, ça trompe,
Un éléphant, ça trompe énormément !

Et toi, quelle est ta chanson préférée ?

Lilou saute dans les bras de Marie-Ève, son éducatrice chouchou. Mia, Sarah et Nicolas sont déjà là. Ils disent en chœur : «Lilou, viens jouer avec nous ! »

Et hop ! un bisou à maman, et zou ! Lilou court vers ses amis.

Sarah veut jouer au prince et à la princesse,
Mia veut conduire le camion de pompier,
Nicolas veut construire un grand château…
Lilou est ravie, on peut jouer à tout ça en
même temps à la garderie !

Tu joues à quoi aujourd'hui ?

C'est l'heure du dîner, Lilou est affamée.
Marie-Ève a préparé un dîner arc-en-ciel.
Des macaronis de toutes les couleurs, avec
des légumes de toutes les couleurs. Et même
un dessert aux fruits de toutes les couleurs.
Miam…

Avant d'aller au parc, Lilou et ses amis
s'allongent sur leur petit matelas.
Marie-Ève raconte une histoire. Les enfants
ferment les yeux et se laissent bercer.
Parfois, Lilou fait même de drôles de rêves…

Tu veux me raconter ton rêve?

À la queue leu leu, les amis de la garderie traversent la rue pour aller au parc. Youpi ! On peut se balancer, glisser sur le toboggan et grimper partout.

Et de retour à la garderie, qui est déjà là ? Papa !

Comptine pour compter

1, 2, 3 nous irons au bois

1, 2, 3

Nous irons au bois

4, 5, 6

Cueillir des cerises

7, 8, 9

Dans mon panier neuf

10, 11, 12

Elles seront toutes rouges !

Lilou a perdu ses mitaines

Aide Lilou à retrouver ses mitaines.
Lis les indices et pointe du doigt la bonne paire.

Indices :

• Les mitaines ne sont pas vertes.

• Elles n'ont pas de pois bleus.

• Elles n'ont pas de fleurs jaunes.

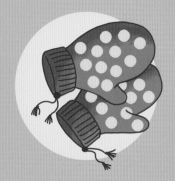

Chapitre 3

À l'école

Dès que Maxou arrive dans la cour d'école, la cloche sonne : Hou hou ! Eh oui, c'est une cloche-hibou… Vite ! Tout le monde se met en rang et Maxou rejoint les amis de la classe de monsieur Guillaume.

Dans la classe, les enfants s'assoient à leur table. Maxou est juste à côté de la cage de Monsieur Coco, le petit perroquet de monsieur Guillaume.

Parfois, l'oiseau répète tout ce qu'on lui dit. On dirait qu'il veut apprendre les lettres et les chiffres, comme les enfants autour de lui !

Après avoir écrit plein de mots avec le son «o», on se met en route pour le cours d'éducation physique. Maxou aime bien apprendre de nouveaux jeux…

La marelle-dragon, le ballon-espion, le jeu du prisonnier ou du chat perché, l'important, c'est de bouger et de rire beaucoup !

Connais-tu un jeu qui fait bouger… et rire beaucoup ?

C'est déjà l'heure du dîner. Maxou mange
avec ses amis à la cafétéria. Il y a des tables
très, très longues avec plein d'enfants de
tous les âges et de toutes les grandeurs.
Et aussi de toutes les couleurs.

Comme ça, le dîner ressemble à un
vrai arc-en-ciel !

43

L'après-midi passe très vite entre les chansons du cours de musique, les livres à choisir à la bibliothèque, la récré où on joue au ballon, les énigmes avec des nombres… et Monsieur Coco qui compte jusqu'à trois !

Et toi, jusqu'à combien sais-tu compter ?

Quand Maxou sort de l'école par la grande porte, Lilou et papa sont déjà dans la voiture à l'attendre. Maxou a très hâte de leur raconter le « un, deux, trrrois » de Monsieur Coco… et tout ce qu'il a appris dans la classe de monsieur Guillaume.

Comptine dans la cour d'école

Je te tiens par la barbichette

Je te tiens,

tu me tiens,

par la barbichette.

Le premier

de nous deux

qui rira

aura une tapette !

Au cours de musique

Cherche et trouve

Pointe du doigt les instruments à cordes.

Pointe du doigt les instruments à vent.

Pointe du doigt les instruments à percussion.

Chapitre 4

À la maison

Maxou ouvre la porte de la maison en coup de vent, dépose son sac d'école et court jouer avec Filou. Tigrou, lui, ronronne déjà en se frottant contre les jambes de Lilou. C'est bon d'être à la maison !

L'heure du souper approche. Lilou aide son grand frère à mettre la table. Elle se concentre pour bien placer les couverts. À gauche de l'assiette, la fourchette. À droite, le couteau. Et la cuillère à soupe, où va-t-elle?

Toi aussi, tu aides tes parents à l'heure du souper?

Pendant que Maxou fait ses devoirs, Lilou dessine un soleil avec deux yeux ronds et une grande bouche.

Papa trouve le dessin de Lilou tellement beau qu'il veut l'apporter au bureau le lendemain.

Maxou et Lilou enfilent leurs chapeaux de sorciers pour jouer dans la cour. Puis, ils mélangent de l'herbe, des bouts de carottes molles, de l'eau, un peu de boue, des macaronis trop cuits, tout ça dans un seau… Ils appellent ça faire un Beurk!

Veux-tu inventer une recette de Beurk!
toi aussi?

Plus tard, dans son bain, Lilou joue à la princesse et à la fée. C'est Lilou la princesse… et la fée, c'est maman ! Maman-fée lave les cheveux de Lilou et les coiffe avec une jolie brosse. Les vraies princesses n'oublient jamais de se laver les dents, et zou ! au lit…

Papa vient border Lilou, gros bisou. Ensuite, c'est au tour de Maxou. Maman chante une chanson, c'est ce que préfère Lilou. Avec Maxou, elle lit quelques pages d'un gros livre d'histoires.

La jolie veilleuse dessine des papillons de lumière dans la chambre… les enfants ferment les yeux.

Bonne nuit, Lilou ! Beaux rêves, Maxou !

Comptine pour dormir

Doucement, doucement

Doucement, doucement,
Doucement s'en va le jour.
Doucement, doucement,
À pas de velours.

La rainette dit
Sa chanson de pluie
Et le lièvre fuit
Sans un bruit.

Les oiseaux blottis
Dans le creux des nids
Se sont endormis.
Bonne nuit !

Qu'y a-t-il dans la salle de bain?

Trouve 4 intrus et pointe-les du doigt. Selon toi, où vont ces objets?

Chapitre 5

La fin de semaine

Youpi, c'est samedi ! Aujourd'hui, papa a fait des crêpes. Maxou les adore avec des bananes au chocolat. Mais Lilou, elle, les mange… toutes nues, comme ça.

Et Tigrou, et Filou ? Comme d'habitude, ils préfèrent leurs croquettes au goût de morue crue.

Avec maman, Lilou file à son cours de natation. Un vrai petit poisson, cette Lilou ! Bientôt, elle saura mettre la tête sous l'eau et traverser la piscine comme un vrai dauphin.

Et toi, quelle est ton activité favorite du samedi ?

Comme c'est maman qui fait le taxi aujourd'hui, elle emmène aussi Maxou à son cours de karaté.

Maxou est très content, car son ami Fred est là. Les deux garçons ont fière allure dans leur costume tout blanc !

Pendant ce temps, papa fait les courses
avec Lilou assise dans le panier. La petite fille
adore ça, car papa marche très, très vite !
Et quand il tourne dans les allées, Lilou se
croit vraiment dans un manège…

Et puis, il y a plein de choses à regarder,
comme d'énormes ananas ou des biscuits
en forme de chat.

Aimes-tu faire l'épicerie ? Et choisir de
beaux céleris ?

C'est déjà dimanche et toute la famille fait
une balade à vélo. Lilou file comme le vent,
bien assise dans son nouveau siège derrière
maman.

Maxou est tout fier sur son vélo à deux roues.
Enfin, presque un vélo à deux roues !

Ce soir, on mange chez papi et mamie.
Dans sa bibliothèque, mamie a plein de
beaux livres aux pages dorées et aux
dessins merveilleux. Et elle sait si bien
raconter les histoires…

Papi, lui, est un très bon cheval. Princesse
Lilou aime bien monter sur son dos !

Et si tu faisais un beau dessin pour
papi ou mamie...

Comptine rigolote

Quelle heure est-il, madame Persil?

- Quelle heure est-il, madame Persil?

- Dix heures moins le quart, madame Plaquard.

- En êtes-vous sûre, madame Chaussure?

- Assurément, madame Piment.

Des fruits et des légumes colorés

Nomme les fruits et les légumes **rouges**.

Nomme les fruits et les légumes verts.

Nomme les fruits et les légumes **bleus** ou **violets**.

Nomme les fruits et les légumes jaunes ou orange.

Chapitre 6

Des journées pas comme les autres

Il y a des journées très spéciales…
Comme celles où on part camper. Lilou et
Maxou adorent dormir sous la tente, nager
dans la rivière, faire cuire des guimauves sur
le feu, puis regarder les étoiles. Tout est si
différent dans la forêt !

Et toi, où pars-tu en vacances ?

Il y a aussi les jours où on va cueillir des
pommes au verger. Maxou peut grimper
sur l'escabeau comme un vrai petit singe !

Lilou préfère la promenade en chariot tiré par
un énorme cheval, car elle devient la vraie
de vraie princesse des pommes… à bord de
son carrosse.

La visite chez la dentiste est aussi une journée pas comme les autres. Dans la salle d'attente, Maxou lit son gros livre d'histoires. Puis, une gentille dame l'appelle par son nom, et le petit garçon la suit dans les corridors.

Tout passe très vite, car la dentiste au drôle de masque fait toujours des blagues pour faire rire Maxou!

Veux-tu inventer un autre masque amusant pour la dentiste?

Lilou et Maxou n'oublieront jamais leur
journée au zoo. Avec papi et mamie, ils ont
vu des girafes au long cou, des gorilles à tête
poilue, des zèbres en pyjama rayé…
et même des tigres plus rayés que Tigrou,
et des lions beaucoup plus gros que Filou !

Mais la meilleure journée de l'année, pour Lilou, c'est celle de son anniversaire. Mia, Sarah et Nicolas sont là… Tous les enfants s'amusent comme de petits fous !

Puis, papa apporte un énorme gâteau tandis que maman chante : «Bonne fêêête, Lilou…» Papi, mamie et Maxou s'écrient en chœur : «Allez, souffle les bougies !»

Tu fais un vœu avec Lilou ?

Comptine des émotions

Quand je mets mon chapeau gris

Quand je mets mon chapeau gris,

C'est pour aller sous la pluie.

Quand je mets mon chapeau vert,

C'est que je suis en colère.

Quand je mets mon chapeau bleu,

C'est que je vais mieux.

Quand je mets mon chapeau blanc,

C'est que je suis très content.

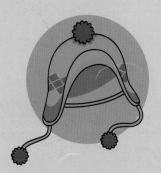

Bonne fête !

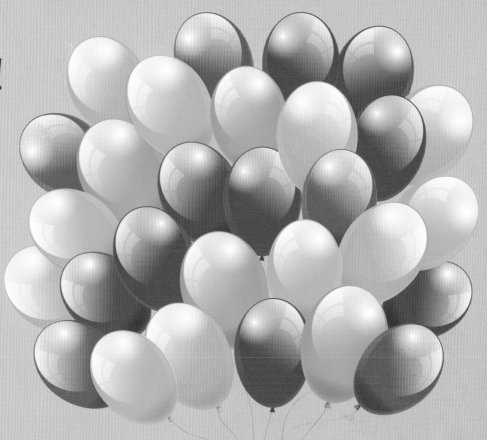

Compte les ballons rouges.

Compte les ballons jaunes.

Compte les ballons bleus.

Compte les ballons roses.

Compte les ballons verts.

Compte les ballons mauves.

Conception graphique et mise en pages : Isabelle Charbonneau
Révision : Danielle Patenaude

Imprimé en Chine

ISBN : 978-2-89642-858-8

Dépôt légal – Bibliothèque et Archives nationales du Québec, 2014
© 2014 Éditions Caractère

Les Éditions Caractère remercient le gouvernement du Québec
Programme de crédit d'impôt pour l'édition de livres – Gestion SODEC.

Les Éditions Caractère reconnaissent l'aide financière du gouvernement du Canada
par l'entremise du Fonds du livre du Canada pour
leurs activités d'édition.

Visitez le site des Éditions Caractère
editionscaractere.com